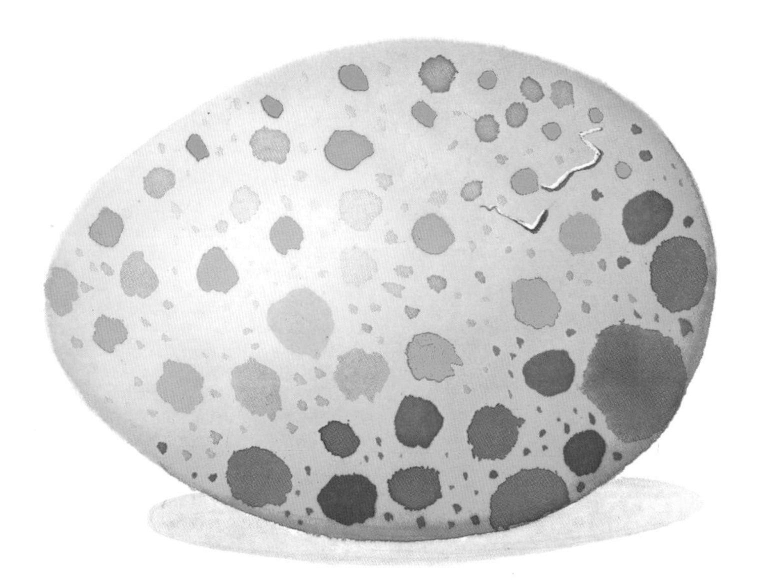

Título original: ALS DIE RABEN NOCH BUNT WAREN — © 1990, K. Thienemanns Verlag, Stuttgart-Wien
© de la traducción española: Editorial Juventud, Barcelona, 1995
Primera edición, 1995 — Traducción: Christiane Scheurer y Esteban Martín
Depósito legal: B. 22.556-1995 — ISBN 84-261-2920-X — Núm. de edición de E. J.: 9.174
Impreso en España - Printed in Spain — I. G. Quatricomia, S. A. — c/Pintor Vila Cinca, nau n.º 4 — 08213 Polinyà (Barcelona)

Edith Schreiber · Wicke · Carola Holland

Cuando los cuervos eran multicolores

Juventud

Hubo un tiempo en que los cuervos eran multicolores.
Sí, sí, de todos los colores.
Algunos eran rosa con plumas de color lila en la cola.
Otros, amarillos con grandes lunares verdes. Y muchos,
azules con rayas de un suave tono anaranjado.
—Nosotros descendemos en línea directa del arco iris
—decían los mayores con orgullo.
Y nadie lo ponía en duda.

Cuando, en invierno, una bandada de cuervos
se posaba sobre las ramas desnudas de un árbol,
era un espectáculo realmente magnífico.
—¿Qué hermosos sois! —exclamaba una ardilla,
aburrida de su pelirrojo pelaje.
—¿Qué, quién, dónde, por qué? —preguntó
un topo que, como se sabe, a la luz del día
no ve tres en un burro.
—¿Y yo? ¿También tendré un día esos bonitos
colores? —preguntó un gorrión ahuecando
sus plumas en el viento helado.
—¡Come de una vez y estate quieto!
—le respondió su madre, irritada.

Al parecer fue un muñeco de nieve quien formuló la nefasta pregunta. Tal vez estaba enfadado porque los cuervos le picoteaban constantemente la nariz, tal vez estaba celoso de sus colores. O simplemente había tenido un mal sueño. Por ejemplo, que había llegado la primavera, o peor aún, el cálido verano.
Sea como fuere, un buen día preguntó:
—Aunque personalmente prefiero el blanco, me interesaría saber una cosa —empezó—. ¿Qué color es el adecuado para vosotros? Quiero decir, ¿cómo ha de ser un auténtico y verdadero cuervo?
Dirigió su pregunta a un cuervo con lunares azules.

—¡Tsss! —hizo el de topos azules—. ¿No lo ves? Un elegante tono trigo amarillo con lunares del color del cielo en una noche de verano.

—¡No me hagas reír! —graznó uno con rayas verdes y rosa—. Un cuervo ha de tener rayas. Mejor si son de color rosa fluorescente con fondo verde abedul.

—¡Qué disparate! —interrumpió un violeta indignado—. El cuervo primitivo era lila. Eso lo sabe cualquier pajarillo.

—A mí me parece que el lila atonta —graznó uno amarillo dorado con barriga verde musgo. Miradme a mí y sabréis cómo ha de ser un auténtico y verdadero cuervo.

Empezaron a chillar todos juntos.
—¡No hablaré más que con mis semejantes!
—graznó furioso un cuervo mientras se alejaba
a golpe de ala. Era de rayas rosa y fue a juntarse
con otros del mismo color.
—Es tonto como sólo puede serlo un cuervo rosa.
Pero cuando se tiene razón, se tiene razón —dijo
un cuervo con lunares. Y también se alejó para
juntarse con otros de lunares amarillos.
La gran bandada de cuervos multicolores se dispersó.

Ya sólo se veían los cuervos por grupos del mismo color. Pero no por eso eran iguales, ni mucho menos. Cada cuervo era un poco distinto. Y cada uno estaba convencido de que su propio color era el único color posible.

—Pues vete con los violetas si no estás conforme —se oía al pasar una bandada de cuervos de color rosa.

—Tú, el de los lunares verdes, cállate. Bastante suerte tienes con estar entre los de color rosa —fue la respuesta.

De entonces viene el dicho: «Chillan como cuervos».

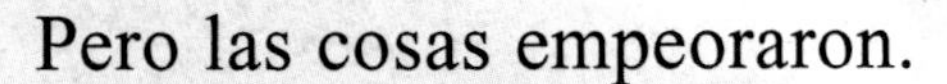
Pero las cosas empeoraron.
—Los lilas están acabados, su tiempo ya ha pasado —gritó una mañana una bandada de cuervos de color turquesa. Los de color verde azulado atacaron a sus congéneres violetas y lilas. Enfurecidos, se dieron de picotazos hasta ponerse morados. Un montón de plumas cubrió el campo de batalla.
—¿Qué te parece un nido todo en lila y turquesa?
—preguntó un joven mirlo a su compañera.
—Bonito, pero demasiado chillón —suspiró ella. Y con un movimiento de cabeza señaló hacia abajo. Un enorme gato gris se deslizaba silencioso entre la hierba del prado.

Bandadas de cuervos graznaban, discutían y peleaban por todos los rincones:
«¡Guerra a los colores!», coreaban todos. Y encima estaban orgullosos de semejante insensatez.
«¡Los rosa en lucha, queremos justicia!», era la consigna de batalla de los rosa.
«¡Está más que comprobado, el turquesa es apropiado», graznaban los de color verde azulado.
«¡Nunca vamos a ceder, ocre tenemos que ser!», gritaban en coro los amarillos.
Entonces llegó la lluvia. Pero no era una lluvia corriente.

LOS LILAS ESTÁN
ACABADOS

Entre truenos y ventisca cayó una espesa lluvia negra.
—Espero que no estropee mi delicada piel rosa —dijo preocupado el cerdo.
—¿No se llenará de manchas negras mi pelirrojo pelaje? —preguntó la ardilla.
—¿Una rana toda negra? ¡Qué pena! ¡Qué pena! —se lamentó la rana a ritmo de «rap».
Sólo los mirlos y los topos se quedaron indiferentes.
—Tampoco es para ponerse así; el negro viste mucho —dijeron.

Y tal y como había llegado, la lluvia desapareció
un día de repente.
Todos los animales fueron a mirarse
en las cristalinas aguas del estanque.
El cerdo continuaba siendo rosa.
El ciervo, pardo.
La liebre, gris.
La rana, verde.
La ardilla, pelirroja.

Pero ¿y los cuervos?... Parecía que la negra lluvia
sólo hubiese querido afectar a los cuervos peleones.
Se les veía posados sobre los cables del tendido
eléctrico, tan perplejos como negros.
Ya no había cuervos de color rosa, lila, verde,
amarillo. No se les veía ni una raya ni un lunar.
Eran tan iguales que incluso a ellos mismos
les costaba distinguirse entre sí.
Por supuesto ya ninguno sabía con quién tenía
que pelear. Eran negros como el carbón y negros
se quedaron para siempre.

Un cuervo verde, azul y amarillo se encontraba de vacaciones en la selva tropical cuando ocurrió la catástrofe.
A su regreso tuvo que preguntar y buscar durante un tiempo hasta encontrar a su familia.
—¿No crees que con tu aspecto llamas un poco la atención? —le increpó su hermana, disgustada.
—Tiene razón, haz el favor de ponerte algo más correcto —aprobó un tío lejano.
Al ver el plan, el cuervo multicolor decidió volverse a la selva.

MÁS VALE CRA CRA
QUE BLA BLA

Carola Holland

Más que «de-escribirme» me «de-dibujaré»: vestida de negro ala de cuervo, pero con pensamientos multicolores que desean convertirse en dibujos. Nací cerca de Berlín, pero vivo y dibujo en Viena. Tengo una hija pequeña y cuatro gatos que, a veces, me miran por encima del hombro.

Edith Schreiber-Wicke

Escribo historias sobre seres imaginarios, otras realidades y sobre todo aquello que no se puede explicar. Pero lo que no me gusta es escribir historias sobre mí. Así que seré breve: Tengo dos hijos, dos gatos, un marido (no se pueden tener dos) y vivo alternativamente en Grundlsee y en Venecia.